MIEUX COMPRENDRE

LE TABAGISME

PETE SANDERS et STEVE MYERS
Traduction de CHANTAL GRÉGOIRE-NAGANT

GAMMA • ÉDITIONS ÉCOLE ACTIVE

© 1997 Éditions Gamma
60120 Bonneuil-les-Eaux
pour l'édition en langue française.
Dépôt légal : janvier 1997,
Bibliotèque nationale.
ISBN 2-7130-1803-X

© Aladdin Books Ltd 1995
Designed and produced by
Aladdin Books
28 Percy Street, London W1P OLD

Titre original : *Smoking*

Conception graphique :
David West Children's Books

Adaptation française :
Chantal Grégoire-Nagant

Corrections :
Anne-Christine Lehmann

Mise en Page :
Pat McGrath

Exclusivité au Canada :
Éditions École Active
2244, rue de Rouen
Montréal (Québec) H2K 1L5
Dépôts légaux : 1er trimestre 1997,
Bibliothèque nationale du Québec,
Bibliothèque nationale du Canada,
ISBN 2-89069-532-8

Loi n° 49-956 du 16 juillet 1949
sur les publications destinées à la
jeunesse

Imprimé en Belgique
Tous droits réservés

Pete Sanders est chargé de cours en
hygiène de vie à l'Université de Londres
Nord. Il a été directeur d'école pendant
dix ans et a écrit de nombreux ouvrages
d'intérêt social destinés aux enfants.

Steve Myers est auteur indépendant.
Il a participé à l'élaboration d'autres
ouvrages de cette collection et
a travaillé à la réalisation de plusieurs
projets éducatifs.

Amanda Sandford, spécialiste et
conseillère, travaille à l'association ASH
(Action on Smoking and Health), qui
combat l'usage du tabac pour préserver
la santé.

SOMMAIRE

COMMENT UTILISER CE LIVRE 2

INTRODUCTION 3

POURQUOI FUMER ? 4

LA PREMIÈRE CIGARETTE 7

COMMENT LA CIGARETTE PEUT-ELLE
NUIRE À LA SANTÉ ? 11

Y A-T-IL D'AUTRES DANGERS À FUMER ? 14

ÊTRE « FUMEUR PASSIF » 18

LES INDUSTRIELS DU TABAC 21

EST-IL SI DIFFICILE D'ARRÊTER DE FUMER ? 24

COMMENT RÉAGIR FACE À L'USAGE DE TABAC ? . . .27

ET TOI, QUE PEUX-TU FAIRE ? 30

INDEX 32

COMMENT UTILISER CE LIVRE

*Les livres de cette collection visent à aider les jeunes
à mieux comprendre les problèmes qu'ils rencontrent.*

*Chaque ouvrage peut être abordé par l'enfant seul ou
accompagné d'un parent, d'un professeur ou
d'un éducateur pour approfondir certaines idées.*

*À la fin des B.D., des questions invitent à la
discussion.*

*Le dernier chapitre « Et toi, que peux-tu faire ? »
propose quelques conseils pratiques et une liste
d'adresses utiles.*

INTRODUCTION

DE RETOUR DES AMÉRIQUES, CHRISTOPHE COLOMB DÉVOILA CETTE ÉTRANGE COUTUME DES INDIENS QUI CONSISTE À FUMER DES FEUILLES DE TABAC ROULÉES. LES EUROPÉENS ADOPTÈRENT BIENTÔT CETTE NOUVEAUTÉ ET, QUELQUES CENTAINES D'ANNÉES PLUS TARD, ILS CONTINUENT À FUMER.

C'est seulement au XX⁰ siècle que la cigarette est devenue à la mode. Et il y a à peine quelques années que l'on s'intéresse sérieusement aux risques qu'elle entraîne pour la santé.
Plus que jamais, le tabagisme suscite des questions auprès des adultes et des jeunes. Que tu sois décidé à ne jamais fumer ou que tu hésites à commencer, ce livre t'aidera à mieux comprendre les raisons qui poussent à fumer et les effets nocifs du tabac. Chaque chapitre étudie un aspect du sujet, puis l'illustre au moyen d'une petite histoire à épisodes. Après chaque épisode, certaines questions sont abordées pour permettre d'élargir la discussion. Arrivé à la fin de cet ouvrage, tu seras à même de choisir, en pleine connaissance de cause, de fumer ou de ne pas fumer.

POURQUOI FUMER ?

LE TABAC FIT SON APPARITION EN EUROPE AU XVIe SIÈCLE. À CETTE ÉPOQUE, DE NOMBREUX EUROPÉENS COMMENCÈRENT À FUMER PARCE QU'ILS CROYAIENT AUX VERTUS MÉDICINALES DU TABAC.

Aujourd'hui, tout le monde sait que le tabac nuit à la santé. Et pourtant, jeunes et moins jeunes continuent à fumer.
De nombreuses raisons peuvent expliquer un tel comportement. Certains fumeurs apprécient tout simplement le goût de la cigarette. D'autres veulent faire comme tout le monde. D'autres encore aiment le contact de la cigarette entre leurs doigts et croient que tirer une bouffée leur donne de l'assurance. La plupart des fumeurs ont l'impression que cela les détend et leur permet de dominer leur stress. Certains prétendent même que la cigarette éclaircit les idées.

Mais tous fument avant tout par habitude, car le tabac crée une dépendance. Le tabac contient en effet une drogue appelée nicotine. La nicotine est un poison. Et bien que sa concentration dans une cigarette ne soit pas mortelle, elle provoque de sérieux dégâts dans le corps : lorsque tu avales la fumée, la nicotine passe par de petits vaisseaux dans les poumons avant de rejoindre la circulation sanguine. Il suffit de quelques secondes pour que la drogue atteigne le cerveau et que tu te sentes détendu tout en restant en éveil. Outre la nicotine, le tabac contient d'autres substances chimiques dangereuses pour la santé.

Lorsqu'on a commencé à fumer, il est très difficile de s'arrêter.

▽ C'est le mois de décembre. Marie et Pierre Legrand vont acheter leurs cadeaux de fin d'année en compagnie de leur mère, Nathalie.

> ACHETONS UNE PIPE POUR ONCLE PHILIPPE.

> SI ON POUVAIT LUI ACHETER AUTRE CHOSE ! J'AI HORREUR DE L'ODEUR DE TABAC.

▽ Pendant que Mme Legrand paie la pipe qu'ils ont choisie, Marie et Pierre se penchent sur une vitrine.

> C'EST QUOI ?

> DU TABAC À PRISER. C'EST DE LA POUDRE DE TABAC QU'ON ASPIRE PAR LE NEZ. GRAND-PÈRE LEGRAND AVAIT L'HABITUDE DE PRISER.

> DÉPÊCHONS-NOUS ! IL FAUT ENCORE ACHETER LE CADEAU DE TANTE ANNE.

Mme Legrand a confié à Marie qu'elle avait commencé à fumer toute jeune, pour faire comme ses copains. ▽

△ Comme il est interdit de fumer dans le magasin, Mme Legrand et ses enfants sortent.

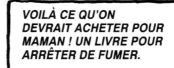

> OUI, JE TERMINE MA CIGARETTE.

> VOILÀ CE QU'ON DEVRAIT ACHETER POUR MAMAN ! UN LIVRE POUR ARRÊTER DE FUMER.

> IL FAUT BIEN PLUS QUE CELA POUR QU'ELLE S'ARRÊTE. ÇA FAIT DES ANNÉES QU'ELLE FUME.

◁ Marie parle de ce livre à sa mère.

> C'EST DIFFICILE D'ARRÊTER DE FUMER. LE MEILLEUR MOYEN, C'EST DE NE JAMAIS COMMENCER.

> T'EN FAIS PAS. JE NE FUMERAI JAMAIS !

Penses-tu que la mère de Marie a raison ?

Le tabac est surtout commercialisé sous forme de cigarette.
Mais, comme le constatent Marie et Pierre, il se présente aussi sous d'autres formes.
Le cigare et la pipe sont mis en bouche, allumés et aspirés comme la cigarette. Le tabac à priser est du tabac en poudre que l'on aspire par le nez. Bien que très à la mode en Europe au XVIIIe siècle, il ne l'est plus du tout aujourd'hui. Enfin, on trouve encore du tabac à mâcher, à chiquer. Toutes ces sortes de tabac contiennent de la nicotine.

Marie sait combien il serait pénible pour sa mère de se passer de cigarettes, car elle fume depuis longtemps.
Mme Legrand est dépendante de la nicotine. Certaines personnes fument jusqu'à 60 cigarettes par jour. Il leur arrive fréquemment d'allumer une cigarette machinalement, sans même s'en rendre compte. Cette habitude peut les entraîner à fumer cigarette sur cigarette, et il n'est pas rare qu'elles allument une cigarette avant même d'avoir terminé celle qu'elles ont à la bouche.

Comme Nathalie Legrand, de nombreux parents ne veulent pas que leurs enfants fument.
La plupart des adultes sont tout à fait conscients des dangers de la cigarette, même si eux-mêmes ne peuvent pas ou ne veulent pas s'arrêter de fumer. Comme le dit très bien Mme Legrand, le seul moyen vraiment efficace pour éviter les désagréments de la cigarette, c'est de ne jamais commencer à fumer.

LA PREMIÈRE CIGARETTE

UN ADULTE SUR TROIS FUME. LA PLUPART COMMENCENT TRÈS JEUNES, DÈS L'ADOLESCENCE.

Une étude a montré que celui ou celle qui ne fume pas à 20 ans risque beaucoup moins de devenir fumeur.
Vous pouvez commencer à fumer pour plusieurs raisons. Des fumeurs d'un certain âge diront peut-être que, quand ils étaient jeunes, la plupart de leurs connaissances fumaient et qu'ils ont voulu les imiter. Autrefois, on connaissait mal les effets nocifs du tabac, et la publicité pour le tabac n'était pas encore sévèrement réglementée, voire interdite. Au contraire, certaines annonces vantaient les vertus de telle ou telle marque de cigarettes !

Peut-être fumes-tu pour te donner l'impression d'être adulte ou pour te faire passer comme tel ou encore pour imiter quelqu'un que tu admires. Si tes amis fument, il n'est pas toujours facile de refuser la cigarette offerte. Quoi qu'il en soit, on commence généralement à fumer sans avoir réfléchi aux conséquences.

Certains se mettent à fumer par pur esprit de contradiction, parce qu'on le leur avait interdit. C'est leur façon d'afficher leur indépendance.

▽ Marc, un garçon qui fréquente la même école que Marie, invite cette dernière à aller au cinéma avec ses amis. Marie est très excitée.

IL FAUT D'ABORD QUE J'AILLE DANS CE MAGASIN.

JE VIENS AVEC TOI.

JE NE SAVAIS PAS QUE TU FUMAIS.

C'EST GÉNIAL, TU SAIS !

△ Marie est surprise de voir Marc acheter des cigarettes.

▷ Marie est préoccupée. Elle ne comprend pas pourquoi certains commerçants acceptent de vendre des cigarettes aux jeunes adolescents.

MAIS TU N'AS MÊME PAS 16 ANS ! CE COMMERÇANT AURAIT DÛ REFUSER DE TE VENDRE DES CIGARETTES.

LA PLUPART DES COMMERÇANTS DU QUARTIER S'EN FICHENT, POURVU QU'ON PAIE !

NON, MERCI.

ALLEZ ! PRENDS-EN UNE, TU VAS ADORER !

▷ Après le film, Marc allume une cigarette et en offre une à Marie.

EH BIEN QUOI ! TU AS PEUR ?

△ Pour faire plaisir à Marc, Marie prend une cigarette.

La première cigarette

▽ La tête lui tourne et elle se sent malade.

◁ Marc avait raison. À Noël, Marie a déjà pris goût aux cigarettes et commence à en chiper dans le paquet de sa mère.

Le jour de Noël...

▷ Pierre suit Marie, qui sort furtivement de la maison.

▷ Marie dit à Pierre que ses amis fument et que fumer lui donne l'impression d'être adulte.

Chacun réagit différemment à la première cigarette.
On peut avoir la tête qui tourne et se sentir un peu étourdi, malade peut-être. Tous ces symptômes de léger empoisonnement sont provoqués par la nicotine. Mais alors, pourquoi poursuivre l'expérience ? Marie n'a pas apprécié sa première cigarette, mais Marc et ses amis l'ont poussée à persévérer. Très vite elle s'est habituée au goût de la cigarette et à ses effets. La dépendance peut venir très rapidement.

Dans certains pays, il est interdit de vendre des cigarettes aux moins de 16 ans.
Mais cela n'empêche pas les très jeunes de s'en procurer. Comme le constate Marie, de nombreux commerçants n'hésitent pas à leur en vendre. Et si le commerçant refuse, ces adolescents chargent un ami qui a l'air plus âgé d'en acheter pour eux ou en prennent, comme Marie, dans le paquet de quelqu'un d'autre.

Des études ont montré que c'est souvent à l'âge de 11 ou 12 ans, lorsqu'ils entament leurs études secondaires, que les jeunes commencent à fumer.
Pour beaucoup, c'est une période difficile. Si tu veux te faire de nouveaux amis, tu n'oseras peut-être pas refuser de faire comme eux, même si tu sais qu'ils ont tort. Mais n'oublie pas que les vrais amis ne t'obligeront jamais à faire ce que tu ne veux pas faire.

COMMENT LA CIGARETTE PEUT-ELLE NUIRE À LA SANTÉ ?

POUR FABRIQUER DES CIGARETTES, LES FEUILLES DE TABAC SONT SÉCHÉES, HACHÉES, PUIS ENROULÉES DANS UNE MINCE FEUILLE DE PAPIER. LA FUMÉE DU TABAC QUI SE CONSUME CONTIENT PLUS DE 4 000 GAZ ET SUBSTANCES CHIMIQUES, LA PLUPART DANGEREUX POUR LA SANTÉ.

Parmi ces substances, il y a de l'ammoniac, présent dans les détachants, de l'oxyde de carbone et du goudron.
La fumée, que le fumeur avale, passe par les bronches qui la conduisent aux poumons. Les petites particules qui adhèrent aux parois des bronches provoquent des irritations, et les poumons s'encrassent d'un goudron brun et gluant, fait de substances chimiques responsables du cancer. Neuf cancers du poumon sur dix sont dus à la cigarette.

Le tabac est aussi à l'origine du cancer de la bouche et de la gorge ainsi que de problèmes respiratoires. Pour contrecarrer les effets du goudron, le corps produit du mucus, mais une trop grande quantité de mucus peut obstruer le système respiratoire et donner lieu à l'emphysème, une maladie qui peut être fatale.

Le fumeur s'expose aussi aux maladies cardiaques. Comme la nicotine et l'oxyde de carbone entravent la circulation sanguine, le cœur doit travailler à plein régime pour assurer le transport de l'oxygène nécessaire. Et cela peut déclencher une crise cardiaque. Près d'un quart des maladies cardiaques entraînant la mort sont dues au tabac.

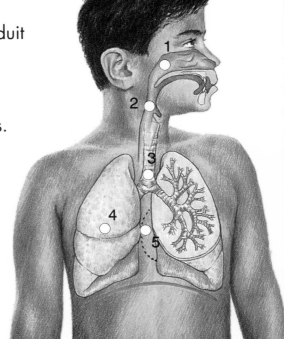

Le tabac nuit à la bouche (1), à la gorge (2), aux bronches (3), aux poumons (4) et au cœur (5).

◁ Le travail de fin d'année de Pierre et ses camarades porte sur le tabac et la pollution.

▷ Après la classe, Pierre et ses amis Nicolas et Guillaume discutent de leur travail de fin d'année.

▷ Pierre et ses amis commencent à comprendre les véritables dangers du tabac.

Pourquoi la mère de Guillaume se fait-elle du souci pour sa fille ?

Guillaume sait que sa sœur prend des risques en fumant pendant sa grossesse.

Lorsqu'une femme est enceinte, tout ce qui entre dans son sang passe dans le sang du fœtus. Si elle fume, la nicotine affecte l'enfant qu'elle porte. Des études ont montré que les bébés de mères fumeuses risquent d'être prématurés ou de plus petite taille que les autres bébés.

Comme beaucoup de fumeurs, l'oncle de Nicolas pense que la cigarette ne peut pas lui faire du mal.

« Fumer ne me fera pas de mal ; cela n'arrive qu'aux autres », pense l'oncle de Nicolas, et beaucoup de fumeurs avec lui. Il évoquera tel ou tel grand fumeur qui a vécu jusqu'à un âge avancé. Peut-être, mais cela ne veut pas dire qu'il soit en bonne santé. Il est médicalement prouvé qu'en fumant, on met sa vie en danger. Chaque jour, des gens meurent de maladies directement provoquées par le tabac.

Le professeur de Pierre s'efforce de faire comprendre à la classe qu'à long terme, le tabac a des effets dévastateurs.

Les maladies provoquées par le tabac n'apparaissent que progressivement. Un fumeur peut se sentir parfaitement bien aujourd'hui, mais il court le risque de souffrir un jour d'une maladie grave.

Y A-T-IL D'AUTRES DANGERS À FUMER ?

LA RELATION DE CAUSE À EFFET ENTRE LE TABAC ET LE RISQUE DE SOUFFRIR D'UNE MALADIE GRAVE EST À PRÉSENT ÉTABLIE. SELON CERTAINES ESTIMATIONS, LES INDUSTRIELS DU TABAC DEVRAIENT SÉDUIRE 300 NOUVEAUX FUMEURS PAR JOUR POUR COMPENSER LES DÉCÈS DUS AU TABAGISME.

Mais le tabac peut aussi engendrer d'autres problèmes moins évidents.

Il peut altérer le goût des aliments. De petites particules de goudron et de nicotine peuvent se déposer sur les dents et les tacher. Les doigts qui tiennent les cigarettes finissent par jaunir. Et beaucoup de grands fumeurs souffrent de la fameuse « toux du fumeur ». Le corps essaie de se débarrasser ainsi du goudron qui encombre les bronches en produisant une grande quantité de mucus. Cette toux se manifeste surtout le matin, au lever.

Les inconditionnels de la cigarette s'essoufflent rapidement et prennent plus de temps que les autres à se remettre d'un exercice physique. Ces symptômes peuvent être les signes avant-coureurs de sérieux problèmes de santé. Mais, la plupart du temps, les fumeurs n'y prêtent pas attention ou ignorent l'importance des risques encourus.

Le tabac peut fortement diminuer les performances physiques et le plaisir de pratiquer un sport.

▽ La classe de Pierre doit réaliser quelques affiches pour prévenir l'usage de tabac.

▽ Pierre est satisfait de son affiche et peut la ramener chez lui.

DES TAS D'INCENDIES SONT L'ŒUVRE DE FUMEURS NÉGLIGENTS QUI JETTENT LEURS CIGARETTES MAL ÉTEINTES.

JE SAIS BIEN. PAPA VÉRIFIE TOUJOURS LES CENDRIERS À LA MAISON.

JE L'AI FAITE POUR TOI. FUMER N'EST PAS UNE ATTITUDE D'ADULTE. C'EST TOUT SIMPLEMENT STUPIDE.

TU CROIS QUE TU SAIS TOUT, HEIN ! CELA NE ME FAIT RIEN DU TOUT.

▷ Pierre raconte à Marie ce qu'il a appris en classe : fumer peut provoquer de sérieuses maladies plus tard.

▽ Marie refuse d'entendre raison. Elle déchire l'affiche de Pierre et sort comme un ouragan.

MAIS TU NE VOIS PAS CE QUI SE PASSE DANS TON CORPS QUAND TU FUMES.

▽ Personne n'a l'air heureux ce soir. Marie et Pierre ne se parlent pas, et leur père, Jacques, est contrarié.

ÇA FAIT UNE HEURE QU'ONCLE PHILIPPE DEVRAIT ÊTRE LÀ. ON VA FINIR PAR ÊTRE EN RETARD.

J'ENTENDS QUELQU'UN, JE CROIS.

▽ Philippe est confus d'arriver en retard.

AMUSEZ-VOUS BIEN. JE SUIS CONTENTE QUE VOUS NE PRENIEZ PAS LA VOITURE, CAR VOUS ALLEZ SÛREMENT BOIRE UN VERRE.

VOILÀ NOTRE BUS. IL FAUDRA COURIR POUR L'AVOIR.

▽ Philippe n'arrive pas à courir assez vite, et ils ratent le bus.

ÇA VA ALLER.

TOI, CET ATHLÈTE QUI ME BATTAIT TOUJOURS !

JE MANQUE D'EXERCICE, C'EST TOUT.

◁ Jacques est étonné de voir le temps qu'il faut à Philippe pour reprendre son souffle.

ET IL SERAIT PEUT-ÊTRE TEMPS DE PENSER À FUMER MOINS.

D'après toi, pourquoi Philippe est-il à bout de souffle ?

Les fabricants sont maintenant obligés d'indiquer sur les paquets de cigarettes que le tabac nuit à la santé. Mais ce message n'a manifestement pas la portée voulue.

Philippe, cet ancien athlète, ne parvient plus à courir sur une courte distance. C'est la preuve que ses poumons sont atteints par des années de tabagisme. Et malgré cela, il ne veut pas se rendre à l'évidence et modifier son comportement !

Bien des incendies sont causés par des fumeurs négligents, comme le font remarquer Guillaume et Pierre.
Une cigarette ou une allumette mal éteintes suffisent à provoquer un incendie.
Chaque année, des personnes s'endorment en fumant au lit et meurent dans l'incendie qu'elles provoquent ainsi. Dans certains endroits, il est interdit de fumer pour éviter des catastrophes. C'est notamment le cas des usines de produits chimiques et des lieux publics.

Un peu partout dans le monde, les incendies de forêts dévastent des centaines d'hectares.
Sur un sol aride, de petits foyers d'incendie allumés par une allumette ou une cigarette mal éteintes peuvent facilement se propager et devenir incontrôlables. Arbres, plantes et animaux périssent ; souvent aussi, des hommes restent prisonniers des flammes.

ÊTRE « FUMEUR PASSIF »

DES RECHERCHES ONT MONTRÉ QUE LES FUMEURS NE METTENT PAS SEULEMENT LEUR PROPRE SANTÉ EN PÉRIL.

Être « fumeur passif », c'est respirer l'air enfumé par la cigarette des autres et augmenter ainsi considérablement le risque d'avoir de sérieux problèmes de santé.
En rentrant dans une pièce où beaucoup de gens fument, tu remarques immédiatement que l'air est rempli de fumée qui se mêle à tes cheveux et imprègne tes vêtements. Tu peux tousser, avoir le nez qui coule, mal à la gorge ou à la tête. Chez un asthmatique, cette atmosphère enfumée peut provoquer une crise. Les scientifiques affirment que celui qui vit avec un fumeur risque d'attraper les mêmes maladies que lui. C'est la raison pour laquelle beaucoup de gens sont favorables à l'interdiction de fumer dans tous les lieux publics.

La fumée d'une cigarette peut piquer les yeux ou rendre légèrement malade.

△ Pour son anniversaire, Marc a invité Marie à se joindre à la réunion de famille.

▽ Après le repas au restaurant, le père de Marc allume une cigarette.

EXCUSEZ-MOI. CELA VOUS DÉRANGERAIT D'ÉTEINDRE VOTRE CIGARETTE ?

OUI, CELA ME DÉRANGERAIT VRAIMENT.

SI J'AVAIS VOULU RESPIRER VOTRE FUMÉE, JE NE SERAIS PAS VENU M'ASSEOIR DANS LA ZONE RÉSERVÉE AUX NON-FUMEURS.

JE ME SOUVIENS D'UNE ÉPOQUE OÙ L'ON POUVAIT FUMER OÙ ET QUAND ON VOULAIT. PERSONNE NE VENAIT VOUS ENNUYER.

QUE L'ON FUME, SOIT. MAIS ÇA ME DÉRANGE AUSSI QUAND JE SUIS EN TRAIN DE MANGER.

△ Se rendant compte alors qu'il est dans son tort, le père de Marc éteint aussitôt sa cigarette.

Les restaurants devraient-ils refuser les fumeurs ?

L'opinion publique à l'égard du tabac a fortement changé.
Le père de Marc se souvient d'une époque où personne ne critiquait les fumeurs. Fumer était alors à la mode. Les agences de publicité s'efforçaient de sensibiliser le plus grand nombre de gens, et surtout les femmes, à l'usage de la cigarette. Leurs affiches montraient des fumeurs séduisants et heureux de vivre. Un fabricant de cigarettes a même été jusqu'à faire appel à des médecins.

À présent, il est interdit de fumer dans de nombreux endroits.
C'est le cas dans la plupart des magasins, dans les cinémas, les bibliothèques, les autobus et autres moyens de transport. Dans les restaurants, il existe des zones réservées aux non-fumeurs. Les clients peuvent ainsi choisir l'endroit où ils veulent s'installer pour manger. Il arrive toutefois que, dans de petits restaurants, la fumée passe d'une zone à l'autre.

Beaucoup de gens ont des idées bien arrêtées au sujet du tabac.
Dans certains pays, des organisations antitabac réclament l'interdiction totale de fumer dans les lieux publics. Les fumeurs, disent-elles, n'ont pas le droit de mettre en danger la santé des non-fumeurs. Dans d'autres pays, cette interdiction est déjà en vigueur.

LES INDUSTRIELS DU TABAC

LA VENTE DE CIGARETTES MET EN JEU BEAUCOUP D'ARGENT. CHAQUE ANNÉE, LES INDUSTRIELS DU TABAC GAGNENT DES MILLIARDS DE FRANCS ET DÉPENSENT DES MILLIONS EN PUBLICITÉ.

Partout dans le monde, on cultive le tabac. Payés par les fabricants de cigarettes, les cultivateurs gagnent souvent plus à faire pousser du tabac que des fruits ou des légumes.
Dans certains pays en voie de développement, cela a déjà entraîné de graves conséquences. La culture du tabac y est préférée à celle de céréales ou de produits alimentaires de première nécessité. De plus, pour avoir une bonne récolte de tabac, les cultivateurs n'hésitent pas à utiliser de nombreux pesticides qui peuvent polluer l'eau potable, les autres cultures, et nuire aux animaux.

Conscients des risques que présente le tabac pour la santé, de nombreux pays ont obligé les fabricants à rappeler, sur les paquets, les dangers courus. Les industriels du tabac se sont alors lancés dans la commercialisation de cigarettes à différentes teneurs en goudron. Les ventes de cigarettes à haute teneur en goudron ont chuté dans les pays industrialisés, mais se sont maintenues dans les pays en voie de développement qui, pour la plupart, ignorent les risques du tabagisme.

La culture du tabac appauvrit le sol.

JE CROYAIS QUE LA PUBLICITÉ POUR LES CIGARETTES ÉTAIT INTERDITE À LA TÉLÉ.

UNIQUEMENT LA PUBLICITÉ DIRECTE. EN FINANÇANT DES ÉVÉNEMENTS, LES FABRICANTS DE CIGARETTES TOUCHENT BEAUCOUP DE SPECTATEURS.

◁ Pierre et son père regardent du sport à la télé. Pierre est surpris de voir que les fabricants de cigarettes font de la publicité sur les voitures de course.

ON N'INTERDIRA JAMAIS COMPLÈTEMENT LA PUBLICITÉ PARCE QU'IL Y A TROP D'ARGENT EN JEU.

MON PROF PRÉTEND QUE CELA COÛTE TRÈS CHER À LA COMMUNAUTÉ DE SOIGNER LES MALADIES CAUSÉES PAR LE TABAC.

IL FAUDRAIT INTERDIRE LA PUBLICITÉ. CELA INCITE À FUMER. C'EST COMME CELA QUE MARIE A COMMENCÉ.

ZUT ! QU'EST-CE QUE JE VIENS DE DIRE LÀ !

△ Pierre a gaffé.

JE N'AURAIS JAMAIS DÛ COMMENCER. C'EST UNE MAUVAISE HABITUDE ! JE VOUDRAIS TANT M'ARRÊTER.

JE TE PROPOSE UN MARCHÉ. J'ARRÊTE SI, TOI AUSSI, TU ARRÊTES.

▷ Jacques raconte à Nathalie ce que Pierre lui a malencontreusement avoué. Ils décident d'en parler à Marie.

EH BIEN OUI, JE FUME. JE N'AI TUÉ PERSONNE, QUE JE SACHE !

NON, MAIS ÇA POURRAIT BIEN ÊTRE TOI.

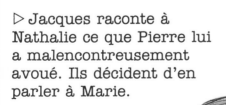

△ Le calme revenu, Nathalie décide de reprendre cette conversation avec Marie.

Doit-on interdire la public[ité] pour les cigarettes ?

Comme le dit Jacques Legrand, de nombreux pays interdisent la publicité directe à la télévision.
C'est pourquoi les fabricants de cigarettes financent des événements sportifs pour faire indirectement la promotion de leurs produits. Par ailleurs, ils suggèrent que la cigarette et le sport ne sont pas incompatibles.

Les pays occidentaux interdisent toute publicité qui associe la cigarette à la réussite et à la santé.
Pour contourner cette interdiction, les affiches publicitaires se font de plus en plus insolites ; parfois, elles ne mentionnent même pas le nom du produit. Certains fabricants parviennent à suggérer une marque de cigarettes simplement par la couleur. D'autres exploitent des images tellement connues qu'elles suffisent à évoquer une marque.

Les gouvernements du monde entier perçoivent en taxes une grande partie du prix du paquet de cigarettes.
Ils tiennent compte de ces sommes considérables lors de l'élaboration de leurs budgets.
Malheureusement, ils ne consacrent pas la totalité des sommes perçues au secteur de la santé. Ce dernier en aurait pourtant bien besoin pour soigner ceux qui souffrent de maladies provoquées par la cigarette.

EST-IL SI DIFFICILE D'ARRÊTER DE FUMER ?

IL N'EST PAS FACILE D'ARRÊTER DE FUMER. ET CELA NE SERT À RIEN D'INCRIMINER LE FUMEUR, ESCLAVE DE SON HABITUDE NOCIVE.

Pour réussir à vivre sans tabac, il faut le vouloir vraiment.
Il est faux de croire qu'en cessant de fumer, on va grossir. À moins de remplacer la cigarette par de fréquents grignotages ! Il y a plusieurs méthodes pour arrêter de fumer : diminuer peu à peu ou cesser d'un seul coup, recourir à l'hypnotisme ou à l'acupuncture… De nouveaux produits, comme la gomme à la nicotine, peuvent aider à se passer du tabac. Ou encore les timbres spéciaux collés sur la peau à la manière d'un sparadrap, qui diminuent le besoin de cigarettes en dispensant de la nicotine par voie cutanée.

Prendre la décision de renoncer au tabac peut être aussi difficile que d'arrêter de fumer.

24

> J'AI ARRÊTÉ ET MAMAN AUSSI.

> PERSONNE NE LE SAURA. ALLEZ, PRENDS-EN UNE. ÇA NE PEUT PAS TE FAIRE DE MAL.

▷ Cela fait un mois que Marie et Nathalie ont arrêté de fumer.

> TU NE TE RENDS PAS COMPTE. MÊME TON HALEINE SENT LA CIGARETTE, SANS PARLER DE CE QUE ÇA TE FAIT À L'INTÉRIEUR !

▽ Plus tard Marie discute avec sa mère.

> MARC CROIT QUE C'EST FACILE DE S'ARRÊTER DE FUMER !

> JE LE SAIS, MOI. MÊME AVEC LE TIMBRE, C'EST DIFFICILE. TON PÈRE EN A ASSEZ DE MES SAUTES D'HUMEUR.

△ Marie est contrariée parce que Marc veut la persuader de recommencer à fumer.

▽ Une semaine plus tard, Nathalie déjeune avec Annie, la femme de Philippe.

> J'EN PRENDRAIS BIEN UNE, ÇA ME CALMERA !

> C'EST DANS CERTAINES OCCASIONS, LORSQUE TOUT LE MONDE FUME, QUE J'AI VRAIMENT ENVIE D'UNE CIGARETTE.

> EH BIEN, NE TE GÊNE PAS. PRENDS UNE DES MIENNES, SI TU VEUX.

Annie aide-t-elle vraiment Nathalie en lui offrant une cigarette ?

Marie sent bien que la cigarette a quelque chose de répugnant.

Son odeur persiste dans les vêtements et les cheveux. Le tabac donne aussi une mauvaise haleine. Tout cela provoque souvent une réaction de dégoût chez les non-fumeurs.

Comme Nathalie, de nombreux ex-fumeurs récidivent.

Sans doute pour surmonter le stress, par manque de volonté ou besoin de réconfort. Certains rechutent lorsqu'ils doivent faire face à une situation difficile et continuent à fumer après avoir surmonté leurs problèmes. L'habitude est parfois si tenace que certains ex-fumeurs souffrent de ne plus ouvrir un paquet de cigarettes, de ne plus avoir de cigarette entre les doigts. Beaucoup ont surtout du mal à ne plus en allumer une après les repas. Pour réussir à surmonter toutes ces difficultés, il est important que le fumeur repenti soit encouragé par sa famille et ses amis.

Pendant la période de sevrage, le corps ne reçoit plus sa dose quotidienne de nicotine.

L'ex-fumeur peut devenir irritable ou déprimé. Nathalie est préoccupée parce que son mari n'accepte plus ses sautes d'humeur, dues au manque de nicotine.

En société, il sera parfois pénible de résister au désir de fumer une cigarette.

Les fumeurs veilleront donc à ne pas offrir de cigarettes à ceux qui ont décidé d'arrêter de fumer.

COMMENT RÉAGIR FACE À L'USAGE DU TABAC ?

UNE ENQUÊTE EFFECTUÉE AUPRÈS DE FUMEURS MONTRE QU'UN QUART D'ENTRE EUX ONT GOÛTÉ LEUR PREMIÈRE CIGARETTE AVANT D'AVOIR ATTEINT L'ÂGE DE 10 ANS ! CHAQUE NOUVEAU FUMEUR CONSTITUE UNE MINE D'OR POUR LES FABRICANTS DE CIGARETTES.

Bien comprendre les conséquences du tabagisme peut aider à prendre la décision de ne jamais commencer à fumer.
Si la cigarette est tellement nocive pour la santé, pourquoi les gouvernements ne l'interdisent-ils pas ? Parce qu'ils gagnent beaucoup d'argent en prélevant de lourdes taxes sur le tabac et qu'ils subissent la pression des industriels. Sans doute leur reprocherait-on aussi de porter atteinte à la liberté individuelle. De plus, les hommes politiques qui prendraient une telle mesure perdraient aux élections les voix de tous ceux qui préfèrent fumer.

Augmenter le prix des cigarettes n'aurait que peu d'effets sur ceux qui en sont dépendants. Ce qu'il faudrait faire, c'est sanctionner sévèrement les commerçants qui vendent des cigarettes aux très jeunes, interdire toute forme de publicité et agrandir les zones réservées aux non-fumeurs.

Dès leur plus jeune âge, les enfants devraient être informés des problèmes et dangers causés par le tabac.

▽ Nathalie s'est remise à fumer. Mais sa famille la convainc de faire une nouvelle tentative.

▽ Marie a entendu la conversation de ses parents.

CETTE FOIS, JE SUIS BIEN DÉCIDÉE. J'ESPÈRE QUE VOUS NE SOUFFRIREZ PAS DE MES SAUTES D'HUMEUR.

NOUS SOMMES TOUS LÀ POUR T'AIDER.

JE PENSE QUE TU DEVRAIS OUVRIR UN COMPTE OÙ TU DÉPOSERAIS L'ARGENT DE TES CIGARETTES.

EXCELLENTE IDÉE. ELLES SONT SI CHÈR... QUE TU AURAS VITE FAIT D'AMASSER UN... PETITE FORTUNE.

▽ Plus tard, Marie rencontre son ami Marc.

MOI AUSSI, JE PENSE À ARRÊTER. IL PARAÎT QUE J'EMPESTE COMME UN CENDRIER !

DÉSOLÉ DE T'AVOIR POUSSÉE À FUMER.

▽ Marie est heureuse d'avoir retrouvé Marc.

JE VAIS T'AIDER. SI J'Y ARRIVE, POURQUOI PAS TOI ?

JE T'ACCUSAIS À TORT. C'EST MOI SEULE QUI AI PRIS LA DÉCISION DE COMMENCER.

Si tu essaies d'échapper à l'emprise du tabac, fais-toi soutenir par tes proches. Arrêter en même temps que d'autres fumeurs peut s'avérer efficace. En cas de problèmes, tu peux en discuter avec ceux qui sont dans la même situation que toi et qui comprennent ce que tu ressens.

L'idée de Marie de mettre de côté l'argent des cigarettes a déjà fait ses preuves. Comme les cigarettes sont chères, le montant épargné s'accroît rapidement. Au lieu de partir en fumée, cet argent peut servir à récompenser les efforts accomplis. L'ex-fumeur peut le dépenser pour une petite folie, qui renforcera sa volonté.

Nathalie, Marie et Marc devront faire de gros efforts pour ne plus se remettre à fumer. Nathalie est bien décidée à ne plus rechuter. Il existe des associations qui peuvent aider ceux qui veulent arrêter de fumer. Marie regrette d'avoir commencé. Elle aurait dû refuser la cigarette que lui proposait Marc, mais elle a choisi de l'accepter pour imiter son ami. Marc reconnaît qu'il n'aurait pas dû inciter Marie à fumer. Personne ne devrait forcer qui que ce soit à prendre goût à la cigarette.

ET TOI, QUE PEUX-TU FAIRE ?

APRÈS AVOIR LU CE LIVRE, TU COMPRENDS SÛREMENT MIEUX LES RAISONS POUR LESQUELLES CERTAINES PERSONNES FUMENT ET LES EFFETS DE LA CIGARETTE SUR LA VIE QUOTIDIENNE.

Si tu as envie de fumer ou si tu l'as déjà fait, réfléchis à tous les dangers que présente le tabac pour la santé.
Souviens-toi aussi qu'un fumeur n'est pas forcément très séduisant. Si tu fumes, n'offre pas de cigarettes à tes amis. En encourageant les autres à fumer, tu les exposes aux mêmes dangers que toi. Si tu veux réduire la quantité de goudron et de nicotine que tu aspires, tire moins de bouffées à ta cigarette. Mais attention, cela ne diminue pas pour autant sa toxicité. Arrêter de fumer n'est pas facile, mais, dès le premier jour d'abstinence, les risques courus commencent à s'amenuiser.

Belgique :

Vie et Santé Plan 5 Jours
19, avenue Orbaix
B – 1180 Bruxelles
Tél. : (02) 374.68.62

Action antitabac asbl
55, rue Président
B – 1050 Bruxelles
Tél. : (02) 502.39.94

Comité d'aide aux fumeurs de la F.A.R.E.S. asbl
56, rue de la Concorde
B – 1050 Bruxelles
Tél. : (02) 512.20.83

LE TABAC CONCERNE TOUT LE MONDE, PAS SEULEMENT LES FUMEURS.

Les adultes peuvent jouer un rôle de prévention s'ils sont conscients que les jeunes copient souvent leur attitude.
Les enfants de fumeurs sont plus enclins que d'autres à prendre cette mauvaise habitude. Celui qui veut arrêter ne doit pas hésiter à s'adresser aux organisations mentionnées ci-dessous : elles l'aideront en lui donnant de précieux conseils. Si tu décides d'arrêter de fumer, parles-en autour de toi et essaie de convaincre des amis. À plusieurs, c'est plus facile.

Arrêter de fumer est difficile, mais pas impossible. Encourage toujours ceux qui font cet effort.

Ministère de la Santé
ublique
6, rue de la Loi
– 1040 Bruxelles
él. : (02) 238.28.11

ssociation contre le cancer
sbl
3, place du Samedi
– 1000 Bruxelles
él. : (02) 229.00.36

entre d'information et de
ocumentation sur le tabac
, avenue Lloyd George, bte 1
– 1000 Bruxelles
él. : (02) 646.07.50

France :

Centre anti-tabac
44, rue Docteur Roux
75015 Paris
Tél. : 01 45 67 71 79

Centre anti-tabac
3, bd Emile Augier
75016 Paris
Tél. : 01 45 20 22 33

Centre anti-tabac
2, rue Isly
75008 Paris
Tél. : 01 43 87 60 33

CNT
BP 135
78001 Versaille Cedex
Tél. : 01 39 24 85 00

Québec :

Santé et Bien-Être social
Complexe Guy-Favreau,
Tour Est
200, bd René-Lévesque
Ouest
Montréal (Québec)
H2Z 1X4
Tél. : 514-283-4587

INDEX

adresses utiles 30-31
arrêter de fumer 24-26, 29, 31
asthme 18
attitudes envers la cigarette 20

cancer 11
cigare 6

dépendance 4-6, 10
dépenses en soins de santé 23
diminution des performances physiques
    14, 16-17

emphysème 11
enfants de fumeurs 31

fumer cigarette sur cigarette 6
fumer pendant la grossesse 13
fumer en société 26
fumeurs passifs 18-20

goudron 11, 14, 21, 30
grossesse 13

incendies 17

industriels du tabac 14, 21-23, 27
interdiction de fumer 18-20, 23, 27

maladies cardiaques 11

nicotine 4, 6, 10-11, 13-14, 24-26, 30

pipe 6
pourquoi fumer 4, 7
première cigarette 7-10, 27
priser 6
problèmes respiratoires 11,18
publicité 7, 20-23, 27

restaurants 20
risques pour la santé 4, 11-18, 30

sevrage 26

taxes perçues sur les cigarettes 23, 27
toux du fumeur 14

vente de cigarettes 10

Origine des photographies :
Toutes les photographies sont de Roger Vlitos, excepté les suivantes : pages 3 et 20 (en haut) : Hulton Deutsch ; page 14 : Charles de Vere ; page 17 (en bas) : Frank Spooner Pictures.